# Fascinantes

# peinados

## TRENZADOS

Desde sencillos hasta extravagantes

# ÍNDICE

# INTRODUCCIÓN

En *Fausto*, de Goethe, Gretchen (Margarita) sueña despierta «trenzando sus cabellos y recogiéndolos». Rapunzel, de los cuentos de los hermanos Grimm, trenza su larguísimo cabello para que su príncipe lo use como escalera y pueda llegar hasta ella. La Loreley, cepillando su largo cabello dorado sentada en una roca, conduce a la muerte a los navegantes del Rin con su canto. La emperatriz Isabel de Austria, Sissi, cautiva con su todavía hoy famoso peinado no solo al emperador Francisco José, sino a toda Europa. Y las trenzas pelirrojas y tiesas de la atrevida Pipi Calzaslargas simbolizan su carácter divertido e independiente.

Una larga cabellera trenzada siempre ha desprendido cierta magia. Feminidad, inocencia y sensualidad se entretejen en ella resultando en una belleza excepcional.

De hecho, los peinados con trenzas son tan antiguos como la humanidad. Una pintura rupestre encontrada en el Sáhara, que data de 3500 a. C., muestra a una mujer con trenzas dando el pecho; representaciones del antiguo Egipto, así como estatuas griegas y romanas, muestran a mujeres con complicados peinados a base de trenzas.

En la segunda mitad del siglo xx, los peinados se vuelven prácticos y cómodos dejando de lado las antiguas trenzas. Sin embargo, con la entrada del nuevo siglo, los trenzados vuelven a ser tendencia. Modelos, celebridades y diseñadores retoman las técnicas tradicionales para sus nuevas creaciones. Los trenzados se ponen de moda para las más variadas ocasiones.

En este libro le explicamos todo lo que debe saber acerca de los peinados realizados a base de trenzas, con numerosas fotografías e instrucciones paso a paso para facilitarle la labor. Con un poco de práctica y nuestros consejos para ejecutar las técnicas más usuales y adaptar los peinados de modo personal, será capaz de domar cualquier melena salvaje y transformarla en una maravillosa trenza.

Para cada peinado encontrará indicaciones sobre el grado de dificultad y la longitud del cabello recomendada.

Trenzas sueltas o recogidas, peinados desenfadados para llevar con vaqueros o elegantes para un vestido de noche, rápidos para ir a la oficina o extravagantes para una fiesta: con los peinados de este libro, su cabello quedará perfecto para entrar en escena.

# TRENZAR

## Consejos generales

- Procure que las secciones de cabello sean del mismo tamaño.

- Si las puntas están abiertas o el corte es escalado, vaya pulverizando el pelo con agua a medida que lo trenza. También puede añadir en el agua un poco de espuma fijadora o laca y recortar con cuidado las puntas abiertas con unas tijeras.

- Durante el trenzado, vaya colocando el cabello en la posición deseada, por ejemplo, en forma de curva.

- Con el tiempo, los músculos de los brazos se le acostumbrarán a los movimientos poco usuales y entonces podrá trenzar con suma facilidad.

- Después de lavar el cabello no le ponga ningún acondicionador. De lo contrario el pelo estará demasiado suave y suelto y le dificultará la tarea. En general, se recomienda utilizar siempre un poco de espuma.

## Técnicas básicas

### Para una trenza convencional

1. Peine bien el cabello para que no queden enredos.

2. Divídalo en tres secciones iguales.

3. Tome el cabo de la derecha y páselo por encima del cabo central, de modo que el primero pase a ser el central.

4. A continuación, tome el cabo de la izquierda y páselo por encima del cabo central; ahora el cabo de la izquierda pasará a ser el central.

5. Repita la operación sucesivamente hasta que la trenza haya alcanzado la longitud deseada.

# Para una trenza francesa

1. Peine bien el cabello para que no queden enredos.

2. Divídalo en tres secciones iguales.

3. Pase el cabo de la derecha por encima del cabo central, y luego el de la izquierda por encima del central.

4. Después, con el dedo meñique o el índice, tome un mechón de pelo del lado derecho de la cabeza, añádalo al cabo de la derecha y páselos por encima del central.

5. A continuación, tome otro mechón de pelo del lado izquierdo de la cabeza, añádalo al cabo de la izquierda y páselos por encima del central. Vaya añadiendo mechones de pelo sucesivamente hasta obtener una trenza de la longitud deseada.

# Para una trenza holandesa

La trenza holandesa se trabaja en principio como la francesa, solo que en este caso los cabos se pasan por debajo en lugar de por encima.

**1.** Peine bien el cabello para que no queden enredos.

**2.** Divídalo en tres secciones iguales.

**3.** Pase el cabo de la derecha por debajo del cabo central, y luego el de la izquierda por debajo del central.

**4.** A continuación, con el dedo meñique o el índice, tome un mechón de pelo del lado derecho de la cabeza, añádalo al cabo de la derecha y páselos por debajo del central. No olvide que debe ir trenzando siempre hacia abajo.

**5.** Siga trenzando el cabello repitiendo los pasos anteriores hasta obtener una trenza de la longitud deseada.

# Para una trenza espina de pescado

Esta trenza es muy fácil de hacer aunque se requiere algo más de tiempo. Si el cabello es muy largo, puede que se le cansen los brazos. La estructura de la trenza destaca especialmente si se trabaja con mechones de pelo muy finos.

**1.** Divida el cabello en dos partes iguales.

**2.** Tome un mechón pequeño de la parte exterior de la sección derecha y póngalo sobre la sección izquierda.

**3.** Tome un mechón pequeño de la parte exterior de la sección izquierda y póngalo sobre la sección derecha. Ahora los dos mechones pequeños quedarán cruzados.

**4.** Siga trenzando el cabello repitiendo los pasos anteriores hasta obtener una trenza de la longitud deseada.

***Consejo:*** Un método más sencillo y rápido consiste en hacer primero una cola de caballo y luego la trenza espina de pescado.

# Para una trenza mariposa

La trenza mariposa es una media trenza francesa. La parte inferior se trenza normalmente y la parte superior se trenza añadiendo mechones. Es muy fácil de hacer y muy versátil.

*1.* Peine bien el cabello para que no queden enredos.

*2.* Tome tres mechones de pelo y tréncelos normalmente una vez.

*3.* Tome un mechón de pelo, añádalo al cabo de la derecha y siga trenzando con el cabo de la izquierda.

*4.* Repita la operación sucesivamente hasta que la trenza haya alcanzado la longitud deseada. Asegure la trenza con una gomita.

*Sugerencia:* Levante la trenza y gírela. Esconda el extremo de la trenza bajo el cabello trenzado y fíjelo con horquillas.

# Para una trenza en cascada

La trenza en cascada es una variación de la trenza francesa. La parte superior se trenza como una trenza francesa. El cabo inferior se deja caer y en su lugar se toma el mechón siguiente.

*1.* Peine bien el cabello para que no queden enredos.

*2.* Divida una sección grande del cabello en tres partes iguales. El cabo inferior debe estar a por lo menos 3 cm de la oreja.

*3.* Empiece trenzando normalmente una vez.

*4.* Tome un mechón de la parte superior de la cabeza con el dedo meñique o el índice y añádalo al cabo ya trenzado, como en la trenza francesa. Deje caer el cabo inferior ya trenzado y en su lugar tome un mechón de la parte inferior de la cabeza.

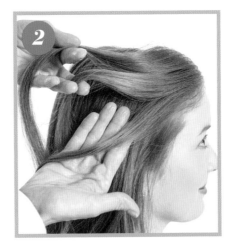

*5.* Siga trenzando el cabello repitiendo los pasos anteriores hasta obtener una trenza de la longitud deseada.

# *Asegurar la trenza*

Este método es perfecto para asegurar una trenza profesional sin lazadas. Con un poco de práctica será un juego de niños.

**Preparación:**
Anude dos gomitas juntas y fije una horquilla en ellas.

*1.* Peine bien el cabello para que no queden enredos.

*2.* Recoja el cabello para la cola con la mano izquierda, a la altura donde va a comenzar la trenza, de modo que quede bien sujeto y peinado.

*3.* Ponga la goma en el dedo pulgar y dele 2 o 3 vueltas alrededor del pelo.

*4.* Pase la horquilla a través de la lazada de la goma y fíjela en el pelo.

*5.* Tome un mechón fino de pelo y enróllelo alrededor de la gomita para ocultarla. Sujételo en el cabello con una horquilla.

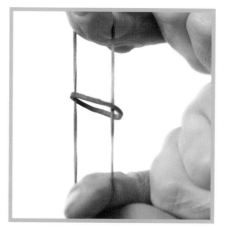

# La raya

La mayoría de las personas tienen un remolino o una raya naturales. Si es así, no trabaje en su contra y adapte los peinados en función a ellos. No es absolutamente necesario hacer siempre la raya en medio o al lado. Únicamente en peinados en los que se debe dividir el cabello en dos partes iguales, es preferible trabajar con una raya en medio.

**Dividir el cabello sin raya:**
Para dividir el pelo sin raya es importante hacer las secciones con líneas curvas con un peine de púas. Cada sección se realiza en forma arqueada o angular.

Si sigue este método para dividir el cabello, este caerá automáticamente sobre la raya. De esta manera se pueden crear peinados con trenzas y recogidos en un abrir y cerrar de ojos. La raya dominante desaparece, de modo que podrá realizar las trenzas que desee y fijarlas en diferentes lugares.

*1.* Haga una cola en la parte superior de la cabeza. Divida el cabello de modo que la cola esté rodeada de cabello suelto.

*2.* Haga otra cola debajo con parte del cabello que no ha utilizado para la primera cola.

*3.* Con el pelo restante, haga una tercera cola por debajo de la segunda.

# Alisar el cabello

Si va a trabajar el cabello con calor (alisar o rizar) debe utilizar un fijador con protección térmica. Los productos con protección térmica soportan las temperaturas altas y además evitan que el cabello se queme o se reseque. Los productos sin protección térmica se pegan al pelo y pueden quemarlo. Los daños que estos causan pueden ser irreparables.

Con esta técnica obtendrá rápidamente un resultado excepcional:

1. Pulverice un espray fijador con protección térmica sobre los mechones que desea alisar. En lugar de espray también puede utilizar una espuma fijadora con protección térmica. En general, el espray deja el cabello más brillante y lo fija durante más tiempo.

2. Pase la plancha lentamente por el pelo, desde la raíz hasta las puntas.

## Consejos:

● Si el cabello es muy rizado, utilice una plancha de viaje para la parte más próxima a la cabeza. Este tipo de planchas son pequeñas y estrechas, de modo que hay menos riesgo de quemar el cuero cabelludo.

● Cuanto más rizado sea el cabello, mayor deberá ser la temperatura.

● Cuanto más grueso sea el cabello, más pequeños deben ser los mechones de pelo.

## El extremo de las trenzas

Hay diversos métodos para terminar una trenza. El más habitual es asegurarla con una goma de pelo. Le recomendamos que utilice gomitas pequeñas muy finas, que existen en variados colores y también transparentes.

Si no le gustan las gomas de pelo, puede cardar el extremo de la trenza y fijarlo con un espray. Un gel de fijación fuerte también puede servir. En este caso, tendrá que sostener la trenza con la mano hasta que se haya secado.

# Rizar el cabello

Si quiere rizar su cabello debe utilizar un fijador o una espuma con protección térmica.

**Rulos:**

Los rulos son el método clásico para rizar el cabello y, sobre todo, el único con el que se obtienen resultados de larga duración.

*1.* Tome un mechón de la parte superior de la cabeza que sea del mismo grosor que el rulo y enrolle la punta del mechón con cuidado.

*2.* A continuación, enrolle el resto del mechón, manteniéndolo tensado, hasta llegar a la cabeza.

*3.* Fije el rulo con pinzas y proceda del mismo modo con el resto del cabello.

*4.* Retire los rulos solo cuando el pelo esté completamente seco. De este modo obtendrá la máxima fijación.

## Moldeador eléctrico:

El moldeador o rizador eléctrico es pequeño, ocupa poco espacio y es muy fácil de utilizar. La desventaja es que con él los rizos duran menos.

*1.* Tome un mechón de pelo y enróllelo alrededor del moldeador.

*2.* Vaya asegurando los rizos con pinzas después de retirar el moldeador para que se enfríen con esta forma.

*3.* Después retire las pinzas del cabello y pase los dedos por él con suavidad.

## *Sugerencias:*

● Cuanto más grueso y crespo sea el cabello, más caliente deberá estar el moldeador y más tiempo deberá dejarlo actuar. Si el cabello es fino, los mechones pueden ser algo más grandes.

● Existen muchos tipos de moldeadores, apropiados para diferentes tipos de cabello.

## Plancha:

Para obtener rizos sueltos con rapidez se puede usar una plancha de cabello.

*1.* Tome un mechón de pelo y coloque la plancha a la altura de la raíz.

*2.* Enrolle el mechón una vez en la plancha.

*3.* Vaya tirando de la plancha lentamente hasta llegar a las puntas.

# Cardado

Cardar el cabello no ha estado muy de moda en los últimos años. No obstante, es un método inigualable si se desea dotar al cabello de volumen y que se mantenga así largo tiempo. Actualmente, el cardado se realiza de modo que casi no se note, o bien de forma que resulte muy llamativo.

*1.* Con la mano izquierda, tome la sección de cabello que desea cardar. Con el peine de cardar en la mano derecha, peine el mechón en dirección al cuero cabelludo.

*2.* Empiece siempre cerca de la raíz y siga hacia las puntas.

*3.* Pulverice con laca de vez en cuando para fijarlo mejor.

*4.* Alise con cuidado la parte de cabello que quedará a la vista y colóquela encima del pelo cardado.

## Consejo:

Un peine de cardar no es apropiado para trabajar grandes zonas. Para ello es mejor utilizar un cepillo de cerdas naturales suaves.

El *beehive*, el clásico peinado colmena de los años 60, es un buen ejemplo de cardado.

# Tipos de cabello

### Cabello fino:

El cabello fino se puede tratar con productos específicos para darle volumen. Durante el lavado y el acondicionado, estos productos lo dotan de peso y volumen.

Según el peinado, se pueden utilizar polvos texturizadores. Son muy fáciles de emplear: échese polvos en la mano y repártalos por todo el pelo o en determinadas zonas. Confieren al cabello un acabado mate y lo hacen más manejable. Sin embargo, harán que sea más difícil peinarlo y reducirán el brillo sedoso.

*Consejo:* Al cabello fino le van especialmente bien los rizos y las ondas.

### Cabello voluminoso:

Para repartir el peso y el volumen en el caso de pelo abundante y largo, le recomendamos trabajar con varias colas. Si hace solo una, existe el riesgo de que el peinado se descuelgue demasiado y se reduzca la fijación. Además, puede aparecer dolor de cabeza ya que el peso recae en un solo lugar. Con varias colas se puede ir trabajando por secciones y los peinados pueden ser más complejos.

### Cabello rebelde:

Si el cabello es muy rebelde e indomable, un gel o una pasta modeladora pueden ser de gran ayuda. Frótese un poco de pasta entre las manos y aplíquela sobre las zonas de cabello que lo necesiten. Haga un poco de presión con la palma de la mano para que los pelos rebeldes queden adheridos al resto.

*Consejo:* Alise el pelo antes de realizar un peinado.

### Cabello claro:

El cabello claro es ideal para peinados con filigranas, ya que las trenzas destacan con más intensidad.

### Cabello oscuro:

El cabello oscuro es más apropiado para peinados sencillos y compactos. Los reflejos de luz no se aprecian tanto en el cabello oscuro, por lo que se puede jugar con la profundidad.

### Accesorios:

Los extremos despeinados de las trenzas y los errores pequeños al trenzar se pueden camuflar con adornos. Coloque flores, coronas, diademas, broches, cintas o lazos y fíjelos al cabello.

Además, los adornos para el cabello están muy de moda y serán el blanco de todas las miradas.

# TRENZA *corazón*

**Dificultad**

**Material**
Peine de púas, pinzas, gomas, horquillas planas, laca

**Longitud del cabello**
Entre los hombros y la cadera

*1.* Peine bien el cabello para que no queden enredos y haga la raya en medio hasta la coronilla.

*2.* Vuelva a dividir el cabello desde la coronilla hasta la parte superior de las orejas y sujete un lado con una pinza.

*3.* Haga una trenza con cada lado. Lo importante es que las trenzas queden a la misma altura y a una distancia de como máximo 4 cm entre sí.

# TRENZA *corazón*

**4.** Enrolle las trenzas sobre sí mismas hacia fuera, intentando que queden lo más simétricas posible, y fíjelas bien a la cabeza con horquillas planas o de moño.

**5.** A continuación, crúcelas por abajo para formar la punta del corazón y fije esta con una horquilla.

**6.** Esconda los extremos de las trenzas dentro del corazón.

**7.** Dele forma simétrica al corazón y acabe de sujetarlo con horquillas.

**8.** Una vez terminado, fije el peinado con laca.

# TRENZAS *en diadema*

**Dificultad**

**Material**
Peine de púas, gomitas, horquillas planas, laca

**Longitud del cabello**
Entre el pecho y la cadera

1. Peine bien el cabello para que no queden enredos y divídalo en dos partes iguales.

2. Haga una cola a la altura del lóbulo de la oreja con cada sección y oculte las gomas enrollando un mechón fino de pelo a su alrededor.

3. Haga una trenza con cada cola y asegure los extremos con una gomita.

25

# TRENZAS *en diadema*

**4.** A continuación, coloque ambas trenzas sobre la cabeza.

**5.** Asegure el punto de cruce con horquillas y fije el resto de la diadema a la cabeza. Esconda los extremos de las trenzas por debajo de estas.

### SUGERENCIA

También puede dejar las trenzas sueltas o enrollarlas sobre sí mismas a modo de moños. Este peinado es ideal para adornarlo con florecitas.

## *Variante*

*1.* En lugar de cruzar las trenzas por encima de la cabeza, gírelas hacia fuera y después crúcelas en la nuca.

*2.* Asegure el cruce con horquillas y esconda los extremos de las trenzas por debajo de ellas.

*3.* Una vez terminado, fije el peinado con laca.

27

# TRENZA *espina de pescado*

***Dificultad***

***Material***
Peine de púas, gomita, laca

***Longitud del cabello***
Entre los hombros y la cadera

*1.* Peine bien el cabello para que no queden enredos.

*2.* Divídalo en dos secciones y crúcelas en la parte posterior de la cabeza o en la nuca. Cuanto más arriba se realice el cruce, más arriba comenzará la trenza.

*3.* Tome un mechón pequeño de la parte exterior de la sección derecha y póngalo sobre la sección izquierda.

# TRENZA *espina de pescado*

**4.** Tome un mechón pequeño de la parte exterior de la sección izquierda y póngalo sobre la sección derecha. Los dos mechones pequeños se deben cruzar.

**5.** Repita esta operación hasta que se termine el cabello de las dos secciones.

**6.** Asegure la trenza con una gomita.

**7.** Afloje la trenza con los dedos para que parezca más gruesa. Empiece en la parte superior de la trenza y vaya hacia abajo.

**8.** Una vez terminado, fije el peinado con laca.

## SUGERENCIA

Cuanto más finos sean los mechones de pelo que se cruzan desde fuera hacia dentro, más estructurada y bonita quedará la trenza. La trenza espina de pescado es muy fácil de hacer pero requiere cierto tiempo. Cuando es muy larga, este tipo de trenza se puede colocar alrededor de la cabeza a modo de diadema.

# TRENZAS FRANCESAS
## *con acabado mariposa*

**1.** Peine bien el cabello para que no queden enredos y haga la raya en medio.

**2.** Haga una trenza francesa desde la raya hasta la oreja con mechones finos.

# TRENZAS FRANCESAS
## con acabado mariposa

**3.** Después continúe haciendo la trenza con la técnica de mariposa, lo que le conferirá un perfil definido.

**4.** Repita esta operación en el otro lado.

**5.** Termine de trenzar a la altura de la nuca y asegure cada trenza con una gomita.

**6.** Con el resto del cabello, haga una trenza convencional hasta el final.

# TRENZAS FRANCESAS
## *con acabado mariposa*

**7.** A continuación, corte las gomitas superiores.

**8.** Afloje la trenza con los dedos para que quede más voluminosa.

### SUGERENCIA

Si lo desea, puede dejar el cabello suelto o recogerlo en un moño. O bien, continuar con dos trenzas convencionales y colocarlas sobre la cabeza a modo de diadema.

## TRENZAS FRANCESAS
*con acabado mariposa*

**9.** Para terminar, levante un poco los extremos de las trenzas mariposa y fíjelos en la cabeza con horquillas.

**10.** Una vez terminado, fije el peinado con laca.

# MOÑO DOBLE *holandés*

**Dificultad**

**Material**
Peine de púas, gomas, horquillas
planas o de moño, laca

**Longitud del cabello**
Entre los hombros y la cintura

1. Peine bien el cabello para
que no queden enredos y
haga la raya en medio.

2. En el lado derecho, haga una
trenza holandesa hasta llegar
a la mitad de la cabeza.

# MOÑO DOBLE *holandés*

**3.** Termine con una trenza
convencional y asegúrela
bien con una gomita.

**4.** Repita esta operación
en el otro lado.

## SUGERENCIA

Puede enrollar las dos trenzas
entre sí para formar un moño
a la altura de la nuca.

**5.** Enrolle una trenza con la mitad del pelo restante.

# MOÑO DOBLE *holandés*

**6.** A continuación, retuerza la trenza sobre sí misma hasta obtener un moño.

**7.** Fije el moño con horquillas.

8. Repita esta operación en el otro lado.

9. Una vez terminado, fije el peinado con laca.

# RECOGIDO
## *con moño de nudo*

**Dificultad**

**Material**
Peine de púas, horquillas planas o
de moño, pinza grande, gomita, laca

**Longitud del cabello**
Entre la barbilla y el pecho

*1.* Peine bien el cabello para
que no queden enredos y
haga la raya en medio.

*2.* Tome dos mechones super-
puestos de entre la raya y
la oreja.

*3.* Enrolle el mechón superior
con el inferior.

# RECOGIDO *con moño de nudo*

**4.** Añada otro mechón y luego enróllelo con el anterior.

**5.** Siga añadiendo mechones hasta llegar a la parte posterior de la cabeza. Vaya fijando a la cabeza el cabello retorcido de vez en cuando con una horquilla.

**6.** Sujételo con una pinza grande para que no se suelte.

**7.** Repita esta operación en el otro lado.

**8.** Cruce los mechones y retuérzalos entre sí varias veces.

**9.** Haga un moño y fíjelo a la cabeza con horquillas.

## SUGERENCIA

Este moño también se puede hacer a un lado de la cabeza. Y se puede emplear cualquier otra técnica de trenzado. Si el cabello es muy fino, puede cardarlo antes en la parte superior de la cabeza o aflojarlo al final con un peine de púas.

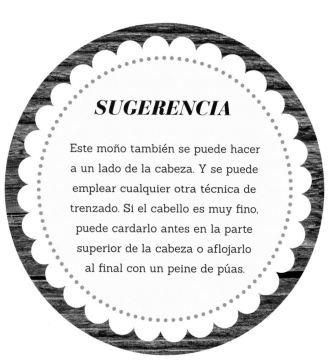

**10.** Una vez terminado, fije el peinado con laca.

# TRENZA DIADEMA
## *francesa*

**1.** Haga una raya de oreja a oreja para tomar una gran sección de pelo de la parte superior de la cabeza.

51

# TRENZA DIADEMA *francesa*

**2.** Haga una trenza francesa con toda esta sección de cabello.

## SUGERENCIA

Este peinado es muy sencillo pero muy llamativo. Si lo desea, puede insertar un adorno a medida que hace la trenza o una vez terminada.

**3.** Asegure el extremo de la trenza con una goma y fíjela en la nuca.

**4.** Una vez terminado, fije el peinado con laca.

# TRENZAS FRANCESAS
## *con cola de caballo*

### Dificultad

### Material
Peine de púas, gomitas, horquillas planas o de moño, laca

### Longitud del cabello
Entre los hombros y la cadera

*1.* Peine bien el cabello para que no queden enredos.

*2.* Haga seis trenzas francesas en la parte superior de la cabeza. Termínelas a la altura de la barbilla y asegúrelas con gomitas. Las trenzas de delante deben ser algo más largas que las de detrás.

# TRENZAS FRANCESAS
## *con cola de caballo*

**3.** Recoja todas las trenzas con el resto del cabello, haga una cola de caballo baja y asegúrela enrollando un mechón de pelo alrededor.

**4.** Fije la punta del mechón con una horquilla.

## SUGERENCIA

Este peinado se puede hacer con trenzas convencionales, espina de pescado, francesas u holandesas. Para que la cola quede más voluminosa, puede cardarla un poco y aplicarle polvos texturizantes.

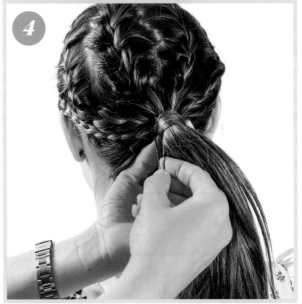

**5.** Una vez terminado, fije el peinado con laca.

# *Romántica*
# TRENZA EN CASCADA

**1.** Peine bien el cabello para que no queden enredos y haga la raya en medio.

**2.** Tome una sección de pelo grande, desde la raya hasta como máximo 3 cm por encima de la oreja, y divídala en tres partes.

**3.** Empiece trenzando normalmente una vez.

**4.** Deje caer el cabo inferior ya trenzado y en su lugar tome un mechón de la parte inferior de la cabeza, y tréncelo.

**5.** A continuación, tome un mechón de la parte superior de la cabeza con el dedo meñique o el índice y añádalo al cabo ya trenzado, como en la trenza francesa.

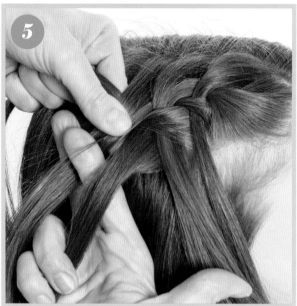

**6.** Siga trenzando así hasta la
mitad de la parte posterior
de la cabeza y luego asegure
la trenza con una gomita.

**7.** Repita esta operación
en el otro lado.

**8.** Tome ambas trenzas con
una mano.

**9.** Corte las gomas con unas tijeras.

**10.** Asegure las trenzas enrollando un mechón de pelo a su alrededor.

### SUGERENCIA

Siga trenzando por la parte posterior de la cabeza para obtener una corona. También puede variar el grosor de las trenzas y hacerlas más prietas o más flojas.

**11.** Utilice un moldeador grueso y haga rizos sueltos.

**12.** Una vez terminado, fije el peinado con laca.

# MOÑO
## *con trenza*

### *Dificultad*

### *Material*
Peine de púa, pinza, peine de cardar, laca, relleno para moño, pinzas planas o de moño

### *Longitud del cabello*
Entre los hombros y la cadera

*1.* Peine bien el cabello para que no queden enredos.

*2.* Haga una cola de caballo alta muy prieta.

*3.* Tome el tercio superior de la cola y sujételo en la cabeza con una pinza. Carde bien el resto del cabello.

*4.* Alise el cabello cardado por encima con un peine y échele laca.

# MOÑO *con trenza*

**5.** Enrolle el pelo cardado en una almohadilla. Empiece por las puntas hasta llegar a la cabeza. Procure que el cabello alisado quede por encima.

**6.** Fije la almohadilla a la cabeza con horquillas y dele forma.

**7.** Con la sección de cabello separada, haga dos trencitas. Enróllelas alrededor del moño y fíjelas.

**8.** Ponga una flor entre las dos trenzas.

**9.** Una vez terminado, fije el peinado con laca.

## SUGERENCIA

También puede utilizar una trenza postiza.

# TRENZA INVERTIDA
## *con moño*

*1.* Ponga la cabeza hacia abajo y cepille bien el cabello para que no queden enredos.

*2.* Haga una trenza francesa desde la nuca hasta la parte superior de la cabeza y luego asegúrela con una gomita.

*3.* Haga una cola de caballo con el resto del cabello.

*4.* Carde la cola y alise el pelo que queda por encima.

### SUGERENCIA

Haga una trenza con el cabello de la cola y enróllela sobre sí misma para formar un moño. Si no tiene el cabello lo suficientemente largo, utilice relleno. Carde el cabello, colóquelo sobre el relleno y fíjelo con horquillas.

**5.** Enrolle el cabello hacia dentro para formar un moño y fíjelo con horquillas. Esconda el extremo de la cola por debajo de esta.

**6.** Una vez terminado, fije el peinado con laca.

# RECOGIDO
## *con trenzas francesas*

*1.* Peine el cabello para que no queden enredos y divídalo en dos secciones, con la raya al lado, de la frente a la nuca.

*2.* En la sección grande, haga una trenza francesa de 5 cm de ancho, de la raya a la oreja.

*3.* Ponga la cabeza hacia abajo. Con el resto del cabello de la misma sección haga una trenza francesa al revés hasta la coronilla, y termínela como una trenza convencional.

73

**4.** Con el cabello de la otra sección haga otra trenza francesa. Empiece en la parte superior de la cabeza y termine en la nuca. Acábela como una trenza convencional.

### SUGERENCIA

Este peinado es muy práctico cuando el cabello está escalado, e incluso si tiene flequillo.

**5.** Recoja las tres trenzas en el lado izquierdo como más le guste y sujételas a la cabeza con horquillas planas o de moño.

**6.** Una vez terminado, fije el peinado con laca.

# TRENZA FRANCESA
## *con tupé*

### *Dificultad*

### *Material*
Peine de púa, peine de cardar,
gomitas, plancha, laca, horquillas
planas, trenzas postizas

### *Longitud del cabello*
Entre los hombros y la cintura

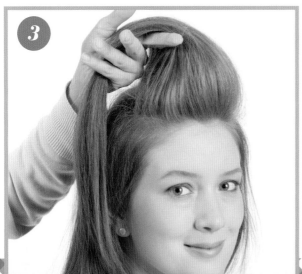

*1.* Peine bien el cabello para
que no queden enredos.

*2.* Separe una sección grande
de cabello haciendo una
raya en forma de U.

*3.* Carde esta sección y alise el
pelo que queda por encima.

# TRENZA FRANCESA *con tupé*

**4.** Asegúrela con una gomita a unos 15 cm del cuero cabelludo. La goma servirá de orientación; una vez fijado el peinado, puede cortarla o sustituirla por horquillas.

**5.** Enrolle el extremo de este mechón en el moldeador y aplíquele una laca con protección térmica.

**6.** Fije el rulo de pelo con una horquilla.

**7.** Divida el resto del cabello en tres secciones y fije una trencita postiza debajo de cada una de ellas.

**8.** Haga una trenza francesa.

**9.** Asegure el extremo de la trenza con una de las trencitas postizas.

## SUGERENCIA

El extremo del mechón del tupé también se puede esconder debajo de este si prefiere no hacer un rulo. Y puede hacer las trencitas con su propio cabello en lugar de utilizar postizas.

**10.** Una vez terminado, fije el peinado con laca.

# RECOGIDO
## *con trencitas decorativas*

**1.** Peine bien el cabello para que no queden enredos.

**2.** Divídalo en tres secciones como se muestra en la fotografía, y haga tres colas.

### Dificultad

### Material
Peine de púas, gomitas, pinzas, peine de cardar, laca, redecillas, horquillas planas, horquillas de moño

### Longitud del cabello
Entre el pecho y la cadera

# RECOGIDO
## *con trencitas decorativas*

**3.** Separe un mechón grueso de cada cola y sujételos en la cabeza con pinzas.

**4.** Carde bien las tres colas, alise el cabello que queda por encima y fíjelo con laca.

### SUGERENCIA

También puede hacer este peinado con una cola o con dos. En general, cuanto más largo y espeso sea el cabello, más colas necesitará.

**5.** Introduzca cada cola en una redecilla y sujete estas con una horquilla debajo de las gomas. Las redecillas recogerán las colas cardadas a modo de saquito.

**6.** Fije los saquitos a la cabeza con horquillas.

# RECOGIDO
*con trencitas decorativas*

**7.** Divida los mechones separados en tres cabos y haga trencitas.

**8.** Decore el recogido a
su gusto con las trencitas.

**9.** Una vez terminado, fije
el peinado con laca.

# *Gran* MOÑO TRENZADO

**2a**

**2b**

*1.* Peine bien el cabello para que no queden enredos.

*2.* Divida el cabello en tres secciones como se muestra en la fotografía, y haga tres colas dispuestas en forma de triángulo.

# Gran MOÑO TRENZADO

**3.** Haga tres trenzas de estilo convencional.

**4.** Coloque cabello postizo entre las tres trenzas, recójalo a modo de moño y fíjelo con horquillas.

## SUGERENCIA

Si desea un moño más pequeño, no utilice cabello postizo y haga las colas más juntas unas de otras.

**5.** Disponga las trenzas alrededor del cabello postizo y vaya fijándolas con horquillas planas o de moño.

**6.** Una vez terminado, fije el peinado con laca.

91

# MOÑO BAJO LADEADO

**Dificultad**

**Material**
Peine de púas, pinzas, gomitas, horquillas planas o de moño, laca

**Longitud del cabello**
Entre los hombros y la cadera

1. Peine bien el cabello para que no queden enredos.

2. Haga la raya a un lado, continúe con una línea curva para separar una sección de cabello como se muestra en la fotografía, y asegúrela con una pinza.

**3.** Con el resto del cabello, haga una trenza francesa empezando a la altura de la raya y hasta llegar al lado derecho de la nuca. Al llegar a la altura del lóbulo de la oreja izquierda, empiece a incorporar mechones de la sección de cabello separada.

**4.** Termine con una trenza convencional y luego asegúrela con una gomita.

### *SUGERENCIA*

Este romántico trenzado se puede combinar con algún adorno delicado. Según la longitud del cabello, el moño quedará más grande o más pequeño.

## MOÑO BAJO LADEADO

**5.** Enrolle la trenza sobre sí misma y fíjela a la cabeza con horquillas planas o de moño. Esconda el extremo por debajo del moño.

**6.** Una vez terminado, fije el peinado con laca.

## La autora

Annabell Fiebiger es peluquera, modista y visagista de profesión. Actualmente trabaja como fotógrafa y maquilladora *freelance* en Neusäß, cerca de Augsburgo, donde también imparte talleres de fotografía, maquillaje, peluquería y trenzados.

www.annabellfiebiger.de

## Créditos fotográficos

Fotografías: mauritius images/Anna Valentin (Annabell Fiebiger)

Ilustraciones: Fotolia.com: © Aleksandra Novakovic (peine), © Anja Kaiser (flores, cenefas), © MK-Photo, © picsfive (fondo de madera)